Le Jeu des bâtons chinois

Liu Baifang

Le Jeu des bâtons chinois

Version française de Jean-Marc Lévy-Leblond

Dessins de Nestor Salas

SEUIL

INTRODUCTION

La sagesse chinoise affirme : « Ce qu'on apprend enfant, on ne l'oublie jamais. »[1] C'est pendant mon enfance, dans le Nord de la Chine, au cours des années 50 et 60, que ma famille et mes amis m'ont appris la plupart des jeux recueillis dans ce livre. Mes parents m'en ont fourni d'autres, souvenirs de leur propre enfance dans les années 1930 et 1940.

Ces jeux appartiennent à la culture populaire chinoise. Ils se transmettent depuis plusieurs siècles, et ont traversé l'ère communiste de Mao Zedong, où se sont perdus tant d'éléments des modes de vie traditionnels. Ils montrent comment la plupart de parents chinois se consacrent à développer les capacités intellectuelles de leurs enfants, même dans leur plus jeune âge.

---

1. NdT : À comparer avec ce proverbe de la sagesse auvergnate : « Ce qu'on apprend vieux, on n'a pas le temps de l'oublier. »

C'est en espérant apporter cette tradition à mon pays d'adoption[2] que j'ai rassemblé les meilleurs de ces jeux dans ce petit livre. Je souhaite que grands et petits les apprécient autant que moi.

Baifang

La version originale de ce livre comprenait, outre les jeux géométriques que l'on trouvera (avec quelques additions) dans la première section «Formes», un petit nombre de jeux arithmétiques. Utilisant chiffres arabes ou romains, leur origine traditionnelle chinoise a paru suffisamment incertaine[3] pour qu'on s'autorise à en proposer dans la section «Chiffres» de nombreux autres, inventés pour l'occasion.

J.-M. L.-L.

2. NdT : L'auteur est installé aux États-Unis, où l'éducation élémentaire n'est pas d'un niveau très élevé…

3. D'autant plus que les chiffres arabes utilisés le sont dans une police de type affichage électronique…

INSTRUCTIONS

Pour jouer, il suffit de disposer d'une cinquantaine de bâtonnets, par exemple des cure-dents ou des allumettes[4]. On peut aussi jouer sur le papier, en redessinant les figures, ou, mieux encore, de tête, en se contentant de les former et déformer mentalement

Ces jeux peuvent être menés individuellement, comme des patiences, ou collectivement, par exemple en compétition.

À titre d'exemple des manipulations demandées et de la présentation des solutions dans ce livre, considérons le problème suivant :

En déplaçant **deux** bâtons, pouvez-vous transformer ces trois losanges en quatre triangles égaux ?

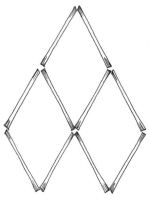

4. Mais dans ce dernier cas, l'éditeur décline explicitement toute responsabilité !

Au départ :

(les bâtons dessinés en noir sont ceux qu'il faut déplacer)

À l'arrivée :

(les bâtons déplacés sont montrés dans leur nouvelle position)

Vous serez sûrement tentés d'inventer vous-même bien d'autres jeux analogues. Quelques pages blanches vous sont réservées à la fin du livre pour que vous puissiez les noter. N'hésitez pas à nous les envoyer, pour une future édition.

FORMES

En déplaçant **deux** bâtons, pouvez-vous transformer ces trois carrés en quatre rectangles égaux ?

SOLUTION 1

Au départ :

À l'arrivée :

En déplaçant **deux** bâtons, pouvez-vous retourner vers le bas cette petite fourche ?

SOLUTION 2

Au départ :

À l'arrivée :

En déplaçant **trois** bâtons, pouvez-vous transformer cette pelle en une chaise ? En un tabouret ?

SOLUTIONS 3

Au départ :

À l'arrivée :

Chaise

À l'arrivée :

Tabouret

En déplaçant **deux** bâtons, pouvez-vous transformer ce dessin en un losange et un triangle ?

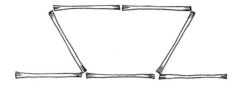

Au départ :

À l'arrivée :

En déplaçant **deux** bâtons, pouvez-vous fermer le trou en bas à gauche de ce dessin, et obtenir deux carrés ?

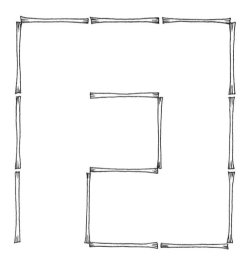

SOLUTION 5

Au départ :

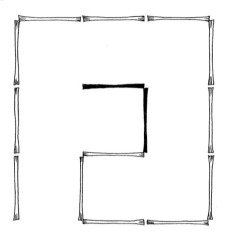

À l'arrivée :

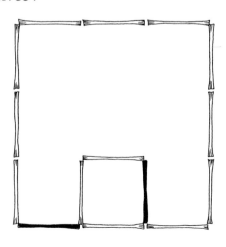

En déplaçant **un** bâton, pouvez-vous transformer cette maison en deux autres maisons ?

Au départ :

À l'arrivée :

En déplaçant **trois** bâtons, pouvez-vous transformer ces trois rectangles en six carrés ?

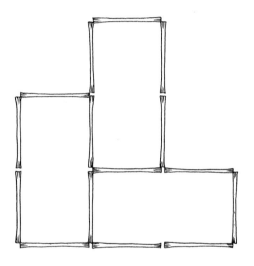

SOLUTION 7

Au départ :

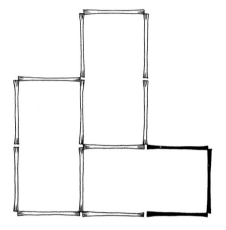

À l'arrivée :

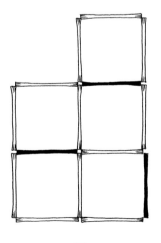

En déplaçant **deux** bâtons, pouvez-vous transformer ces deux rectangles en deux carrés ?

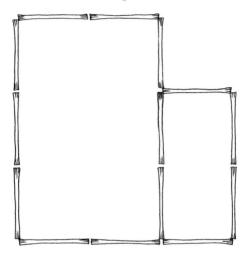

SOLUTION 8

Au départ :

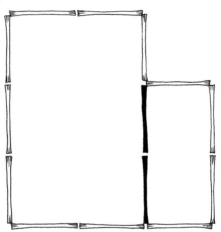

À l'arrivée :

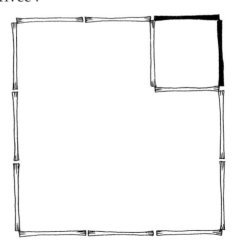

En déplaçant **trois** bâtons, pouvez-vous transformer ces trois rectangles en trois carrés ?

Attention : il y a deux solutions très différentes !

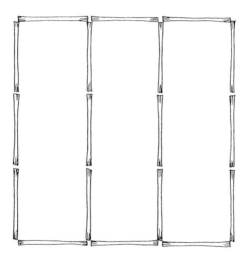

SOLUTIONS 9

SOLUTION A

Au départ :

SOLUTION B

Au départ :

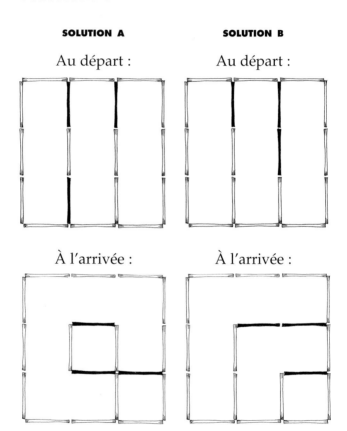

À l'arrivée :

À l'arrivée :

En déplaçant **un** bâton, pouvez-vous obliger ce petit chien à se retourner ?

Au départ :

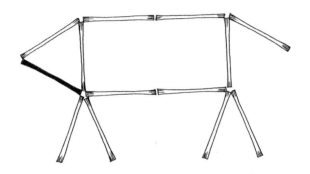

À l'arrivée :

En déplaçant **deux** bâtons, pouvez-vous faire obliger ce petit chien à regarder de l'autre côté ?

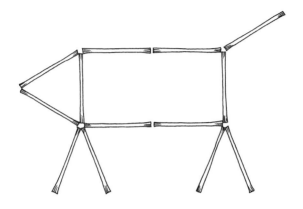

Au départ :

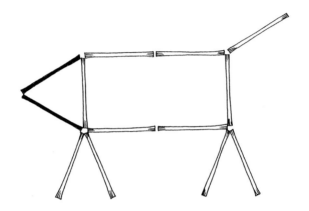

À l'arrivée :

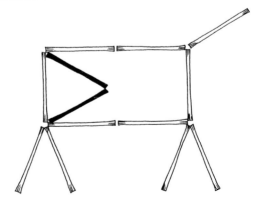

En déplaçant **trois** bâtons, pouvez-vous transformer ce dessin pour qu'il représente un cube ?

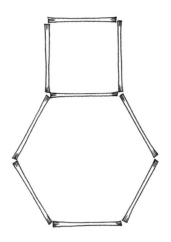

SOLUTION 12

Au départ :

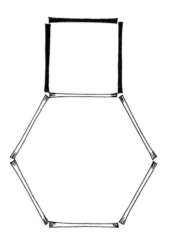

À l'arrivée :

(le cube est vu en perspective)

En déplaçant **quatre** bâtons, pouvez-vous transformer les cinq carrés de cette équerre en quatre carrés égaux ?

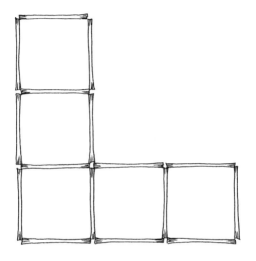

Au départ :

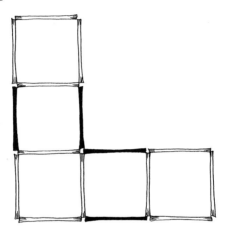

À l'arrivée :

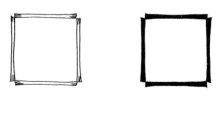

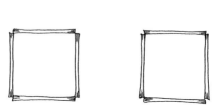

En déplaçant **deux** bâtons, pouvez-vous transformer les cinq carrés de cette équerre en quatre carrés égaux ?

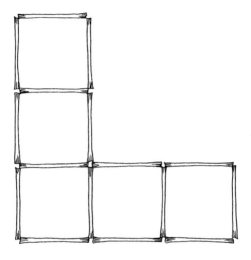

Au départ :

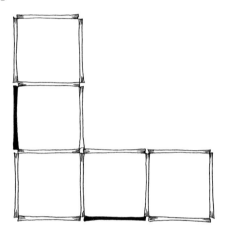

À l'arrivée :

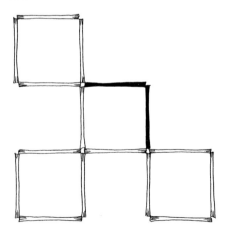

En déplaçant **quatre** bâtons, pouvez-vous transformer les cinq carrés de cette équerre en trois carrés ?

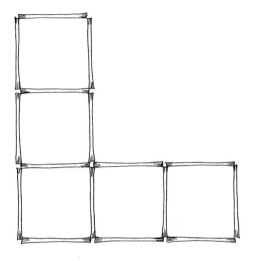

Au départ :

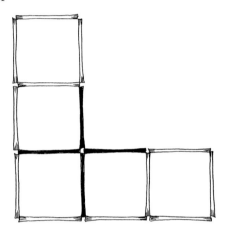

À l'arrivée :

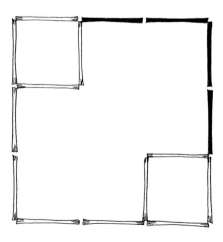

En déplaçant **six** bâtons, pouvez-vous transformer les cinq carrés de cette équerre en deux carrés ?

Attention : il y a deux solutions très différentes !

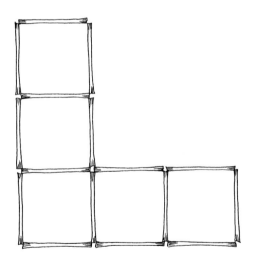

SOLUTIONS 16

SOLUTION A

SOLUTION B

Au départ :   Au départ :

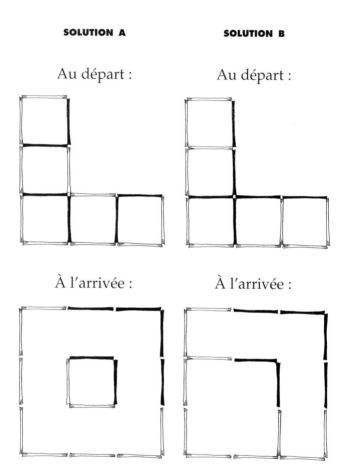

À l'arrivée :   À l'arrivée :

En déplaçant **quatre** bâtons, pouvez-vous retourner sens dessus dessous ce dessin en forme de trapèze ?

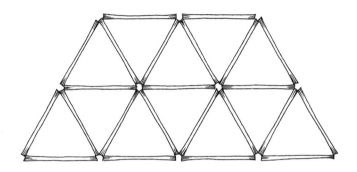

Au départ :

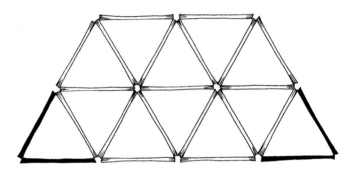

À l'arrivée :

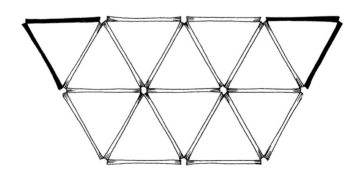

En déplaçant **cinq** bâtons, pouvez-vous transformer ce triangle équilatéral en cinq triangles ?

Au départ :

À l'arrivée :

En enlevant **trois** bâtons, pouvez-vous transformer ce dessin en six triangles égaux ?

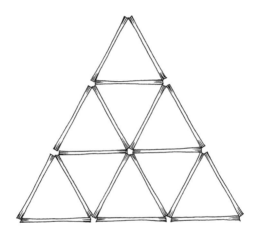

SOLUTION 19

Au départ :

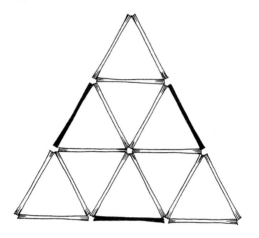

À l'arrivée :

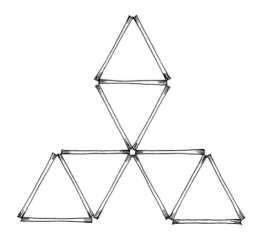

En enlevant **quatre** bâtons, pouvez-vous transformer ce dessin en cinq triangles égaux ?

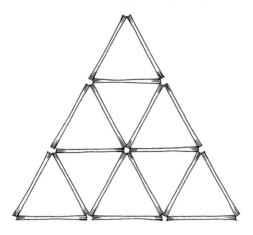

SOLUTION 20

Au départ :

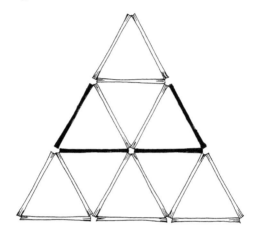

À l'arrivée :

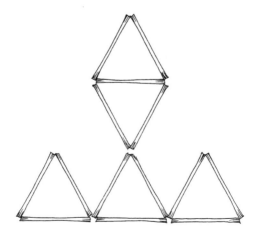

a) En déplaçant **deux** bâtons, pouvez-vous transformer ces six triangles en cinq triangles égaux ?

b) En déplaçant encore **deux** bâtons, pouvez-vous transformer les cinq triangles obtenus en quatre triangles ?

c) En déplaçant encore **deux** bâtons, pouvez-vous transformer les quatre triangles obtenus en trois triangles ?

d) En déplaçant enfin **deux** bâtons, pouvez-vous transformer ces trois triangles en deux triangles égaux ?

SOLUTIONS 21

Au départ : À l'arrivée :

a)

b)

c)

d)

En déplaçant **huit** bâtons, pouvez-vous transformer ce dessin de cinq carrés en neuf carrés ?

Au départ :   À l'arrivée :

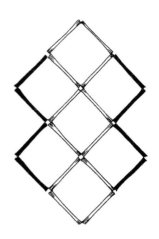

En déplaçant **trois** bâtons, pouvez-vous faire nager ce poisson rouge dans l'autre sens ?

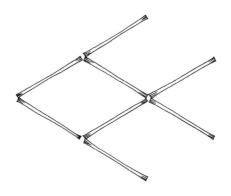

SOLUTION 23

Au départ :

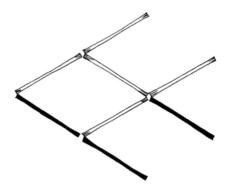

À l'arrivée :

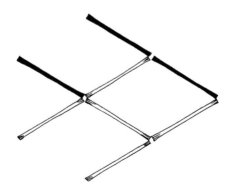

En enlevant **quatre** bâtons, pouvez-vous transformer ce dessin en cinq carrés égaux ?

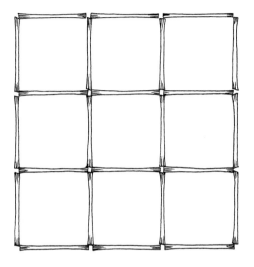

SOLUTION 24

Au départ :

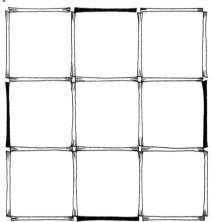

À l'arrivée :

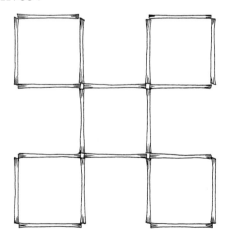

En enlevant **six** bâtons, pouvez-vous transformer ce dessin en trois carrés ?

Attention : il y a quatre solutions très différentes !

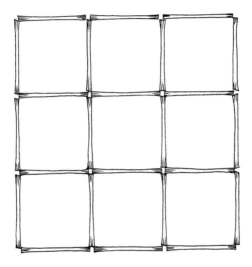

SOLUTIONS 25

SOLUTION A

Au départ :

SOLUTION B

Au départ :

À l'arrivée :

À l'arrivée :

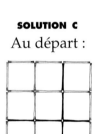

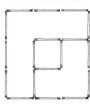

SOLUTION C

Au départ :

SOLUTION D

Au départ :

À l'arrivée :

À l'arrivée :

En enlevant **huit** bâtons, pouvez-vous transformer ce dessin en deux carrés ?

Attention : il y a deux solutions très différentes !

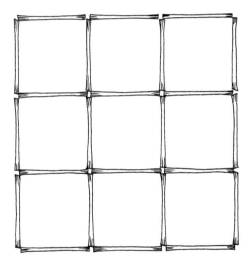

SOLUTION A

Au départ :

SOLUTION B

Au départ :

À l'arrivée :

À l'arrivée :

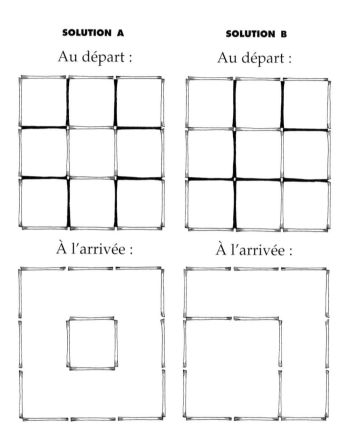

En enlevant **quatre** bâtons, pouvez-vous faire disparaître quatre des huit triangles ?

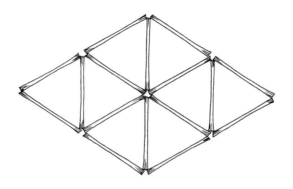

SOLUTION 27

Au départ :

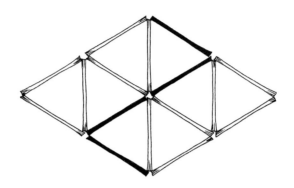

À l'arrivée :

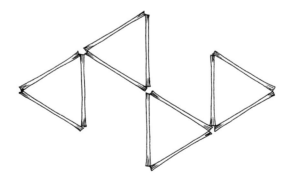

En déplaçant **trois** bâtons, pouvez-vous transformer ce lampadaire en cinq triangles égaux ?

SOLUTION 28

Au départ : À l'arrivée :

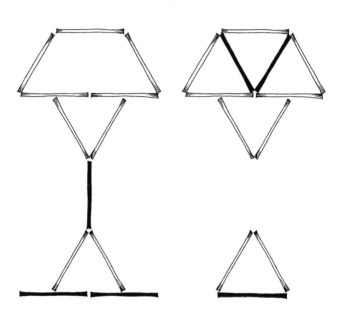

En déplaçant **quatre** bâtons, pouvez-vous transformer ce dessin en six losanges ?

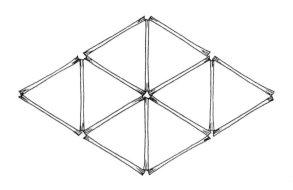

SOLUTION 29

Au départ :

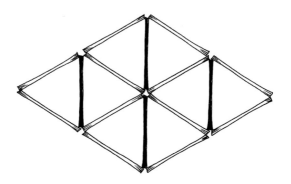

À l'arrivée :

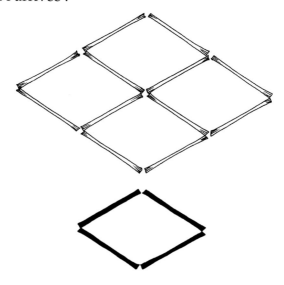

En déplaçant **quatre** bâtons, pouvez-vous transformer cette clé en trois carrés égaux ?

SOLUTION 30

Au départ :   À l'arrivée :

En déplaçant **quatre** bâtons, pouvez-vous transformer ce dessin en neuf carrés ?

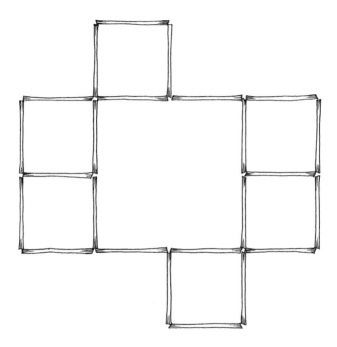

SOLUTION 31

Au départ :

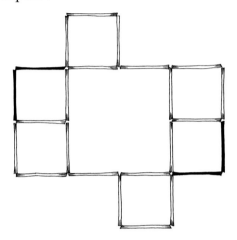

À l'arrivée :

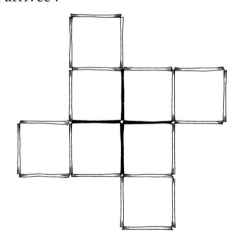

En ajoutant **cinq** bâtons, pouvez-vous diviser ce trapèze en quatre trapèzes égaux ?

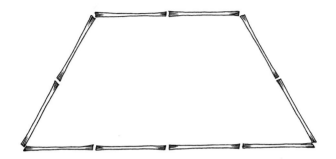

Au départ :

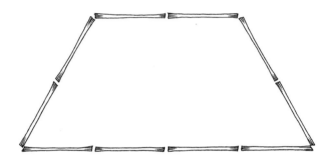

À l'arrivée :

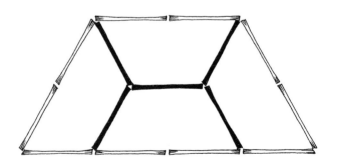

En ajoutant **huit** bâtons, pouvez-vous diviser cette équerre en quatre équerres égales ?

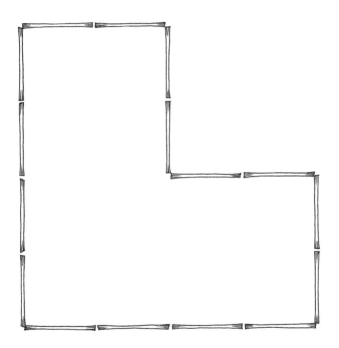

SOLUTION 33

Au départ :

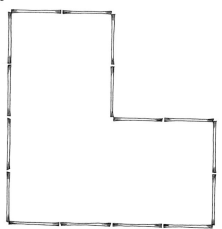

À l'arrivée :

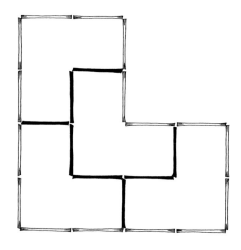

En déplaçant **six** bâtons, pouvez-vous transformer cette étoile en six losanges ?

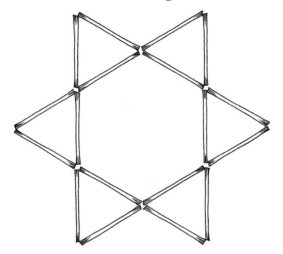

SOLUTION 34

Au départ :

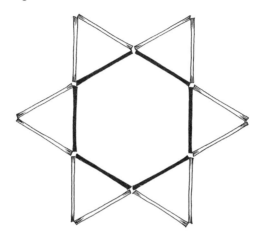

À l'arrivée :

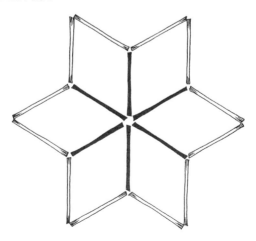

En ajoutant **trois** bâtons, pouvez-vous diviser ce triangle en trois trapèzes égaux ?

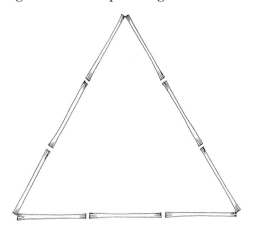

SOLUTION 35

Au départ :

À l'arrivée :

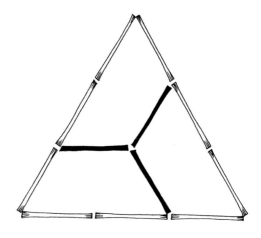

En déplaçant **cinq** bâtons, pouvez-vous transformer ce dessin en deux triangles égaux ?

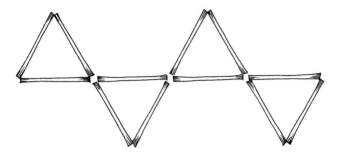

Au départ :

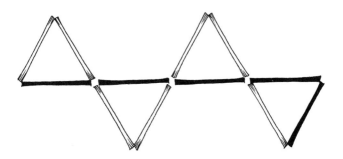

À l'arrivée :

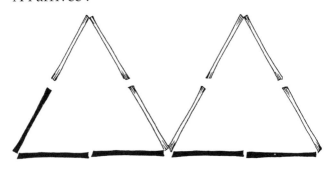

En déplaçant **deux** bâtons, pouvez-vous transformer cet arbre de Noël en poisson rouge ?

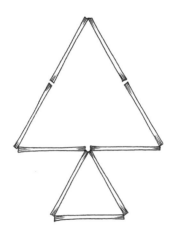

SOLUTION 37

Au départ :

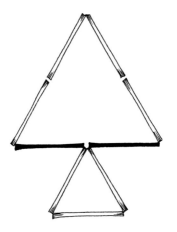

À l'arrivée :

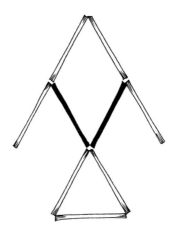

En déplaçant **quatre** bâtons, pouvez-vous transformer cette croix en trois carrés ?

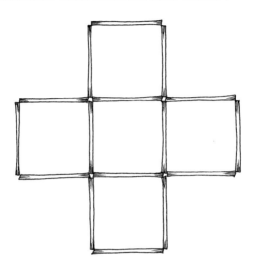

SOLUTION 38

Au départ :

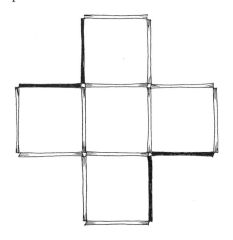

À l'arrivée :

En ajoutant **huit** bâtons, pouvez-vous diviser ce dessin en trois formes égales ?

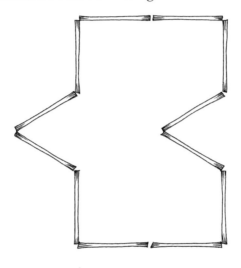

Au départ :

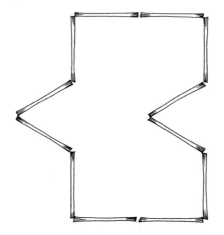

À l'arrivée :

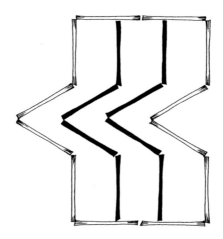

En enlevant **neuf** bâtons, pouvez-vous transformer ce pavage de seize carrés en un pavage contenant *uniquement* des rectangles ?

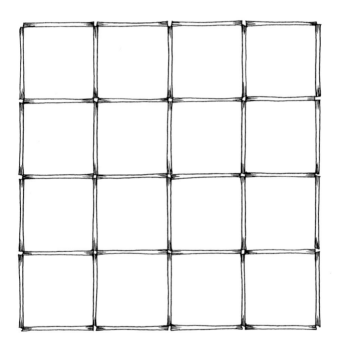

Au départ :

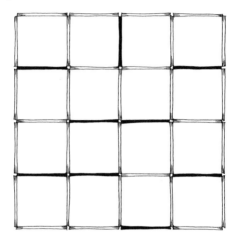

À l'arrivée :

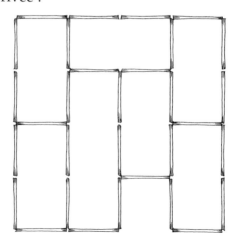

En enlevant **huit** bâtons, pouvez-vous transformer ce pavage de seize carrés en un pavage contenant huit rectangles égaux ?

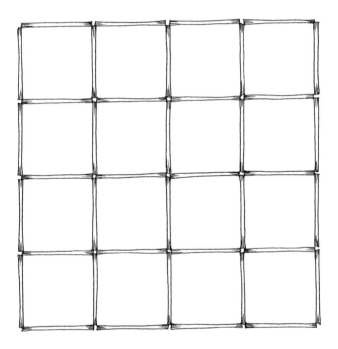

SOLUTION 41

Au départ :

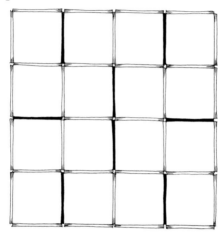

À l'arrivée :

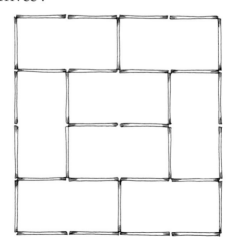

En enlevant **six** bâtons, pouvez-vous éliminer quatre des carrés ?

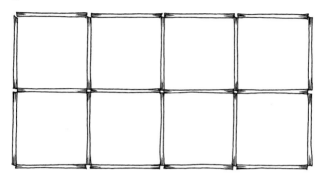

Au départ :

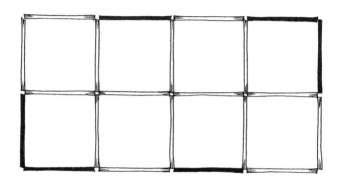

À l'arrivée :

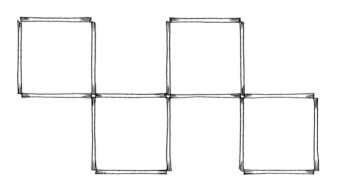

En déplaçant **trois** bâtons, pouvez-vous former quatre triangles égaux ?

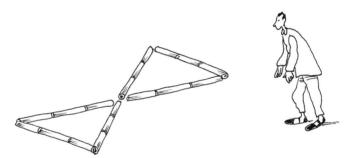

SOLUTION 43

Il y a une astuce ! Il faut passer à trois dimensions et faire un "tétraèdre régulier" (une pyramide à faces triangulaires).

En ajoutant **huit** bâtons, pouvez-vous former six carrés égaux ?

SOLUTION 44

Même astuce, il faut faire un cube.

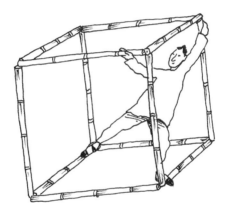

En déplaçant **neuf** bâtons, pouvez-vous former huit triangles égaux ?

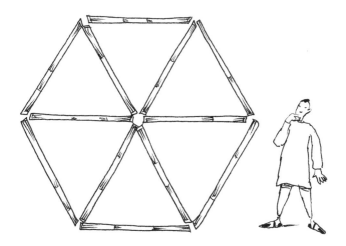

SOLUTION 45

Ici, il s'agit de faire, toujours dans l'espace, un "octaèdre".

NOMBRES

En déplaçant **un** bâton, pouvez-vous rendre vraie cette égalité ?

En déplaçant **un** bâton, pouvez-vous rendre vraie cette égalité ?

En déplaçant **un** bâton, pouvez-vous rendre vraie cette égalité ?

SOLUTION 46

SOLUTION 47

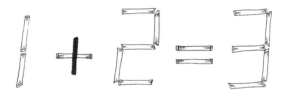

SOLUTION 48

En déplaçant **un** bâton, pouvez-vous rendre vraie cette égalité ?

En déplaçant **un** bâton, pouvez-vous rendre vraie cette égalité ?

En déplaçant **un** bâton, pouvez-vous rendre vraie cette égalité ?

SOLUTION 49

SOLUTION 50

SOLUTION 51

En déplaçant **un** bâton, pouvez-vous *laisser* vraie cette égalité ?

En déplaçant **un** bâton, pouvez-vous rendre vraie cette égalité ?

Il y a *deux* solutions.

SOLUTION 52

SOLUTIONS 53

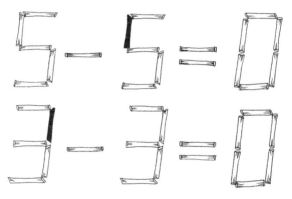

En déplaçant **un** bâton, pouvez-vous rendre vraie cette égalité ?

Il y a *deux* solutions.

En déplaçant **un** bâton, pouvez-vous *laisser* vraie cette égalité ?

En déplaçant **un** bâton, pouvez-vous rendre vraie cette égalité ?

En déplaçant **un** bâton, pouvez-vous rendre vraie cette égalité ?

Il y a *deux* solutions.

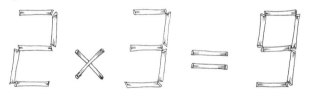

SOLUTION 56

$$9 + 6 = 15$$

SOLUTIONS 57

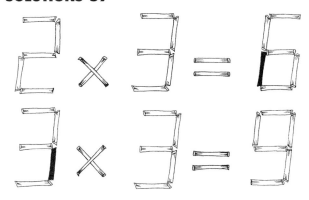

$$2 \times 3 = 6$$

$$3 \times 3 = 9$$

En déplaçant **deux** bâtons, pouvez-vous rendre vraie cette égalité ?

En déplaçant **deux** bâtons, pouvez-vous rendre vraie cette égalité ?

SOLUTION 58

SOLUTION 59

En déplaçant **deux** bâtons, pouvez-vous rendre vraie cette égalité ?

Il y a *deux* solutions.

En déplaçant **deux** bâtons, pouvez-vous rendre vraie cette égalité ?

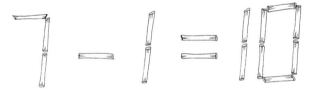

SOLUTIONS 60

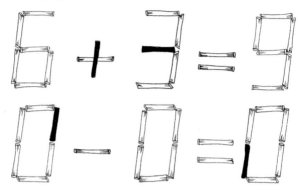

$$6 + 3 = 9$$
$$0 - 0 = 0$$

SOLUTION 61

$$7 + 1 = 8$$

En déplaçant **deux** bâtons, pouvez-vous rendre vraie cette égalité ?

En déplaçant **un** bâton, pouvez-vous rendre vraie cette égalité ?

En déplaçant **deux** bâtons, pouvez-vous rendre vraie cette égalité ?

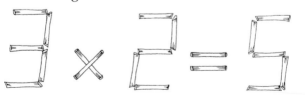

SOLUTION 62

SOLUTION 63

SOLUTION 64

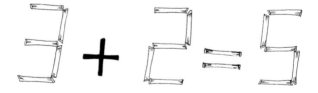

118

En déplaçant **deux** bâtons, pouvez-vous rendre vraie cette égalité ?

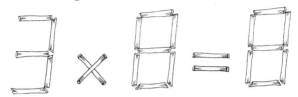

En déplaçant **deux** bâtons, pouvez-vous rendre vraie cette égalité ?

Il y a *trois* solutions.

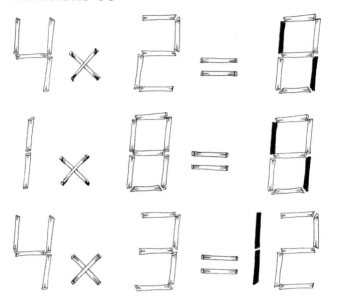

$$4 \times 2 = 8$$

$$1 \times 8 = 8$$

$$4 \times 3 = 12$$

En déplaçant **un** bâton, pouvez-vous rendre vraie cette égalité ? (Il y a *deux* solutions.) Et en déplaçant **deux** bâtons ?

En déplaçant un bâton

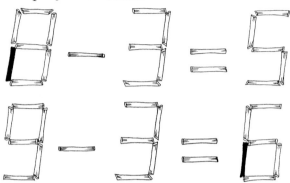

En déplaçant deux bâtons

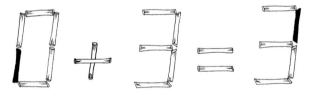

En déplaçant **un** bâton, pouvez-vous rendre vraie cette égalité ? Et en déplaçant **deux** bâtons ? (Il y a *deux* solutions.) Et en déplaçant **trois** bâtons ? Et **quatre** bâtons ?

SOLUTIONS 68

En déplaçant un bâton

En déplaçant deux bâtons

En déplaçant trois bâtons

En déplaçant quatre bâtons (et il doit y avoir d'autres solutions)

En déplaçant **deux** bâtons, pouvez-vous rendre vraie cette égalité ?

62 + 38 = 100

En déplaçant **un** bâton, pouvez-vous rendre vraie cette expression ?

Il y a *six* solutions (au moins).

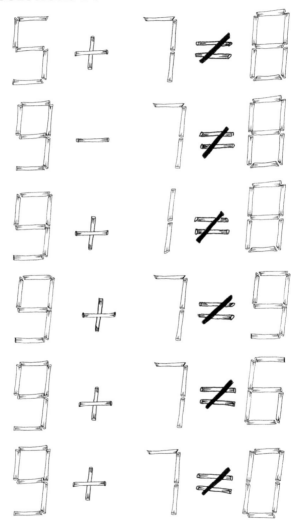

En déplaçant **deux** bâtons, pouvez-vous rendre vraie cette expression ?

En déplaçant **un** bâton, pouvez-vous rendre vraie cette égalité ?

En déplaçant **un** bâton, pouvez-vous *laisser* vraie cette égalité ?

SOLUTION 71

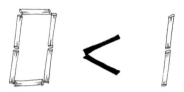

SOLUTION 72

SOLUTION 73

En déplaçant **un** bâton, pouvez-vous rendre vraie cette égalité ?

Il y a *deux* solutions.

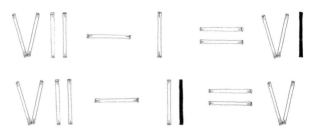

VII − I = VI

VII − II = V

En déplaçant **un** bâton, pouvez-vous rendre vraie cette égalité ?

Il y a *deux* solutions.

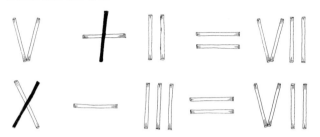

$$V + II = VII$$
$$X - III = VII$$

En déplaçant **un** bâton, pouvez-vous rendre vraie cette égalité ?

Il y a *deux* solutions.

En déplaçant **deux** bâtons, pouvez-vous rendre vraie cette égalité ?

En déplaçant **un** bâton, pouvez-vous rendre vraie cette égalité ?

En déplaçant **deux** bâtons, pouvez-vous rendre vraie cette égalité ?

SOLUTION 77

SOLUTION 78

SOLUTION 79

En déplaçant **un** bâton, pouvez-vous rendre vraie cette égalité ?

SOLUTION 80

COLLECTION DIRIGÉE PAR NICOLE VIMARD

Titre original : *Chinese Brain Twisters*
© 1994, Liu Baifang
Tous droits réservés
Éditeur original : John Wiley & Sons, Inc.

© ÉDITIONS DU SEUIL, OCTOBRE 1995,
pour la traduction, l'adaptation et les additions françaises
Maquette : Nestor Salas

Réalisation PAO : Le Livre à Venir
Achevé d'imprimer par Aubin Imprimeur
Dépôt légal : octobre 1995 - N° 23099 (P 49676)
ISBN : 2-02-023099-2
(ISBN ORIGINAL : 0-471-59505-5)
Loi 49-956 du 16 juillet 1949
sur les publications destinées à la jeunesse.